Madame
Poipoi

Monsieur
Henri

Gino
Marto

Rémi
Lepoivre

Adrien
Dubouchon

Mélanie
Lano

Tom-Tom et Nana

C'est magique !

Scénario : Jacqueline Cohen, Evelyne Reberg
Dessins : Bernadette Després - Couleurs Catherine Legrand

Marie-Lou
Dubouchon

Yvonne
Dubouchon

Nana
Dubouchon

Tom-Tom
Dubouchon

© Bayard Editions / J'aime Lire 1.996

ISBN   2.227.73120.6

Dépôt légal octobre 1.996

Droits de reproduction et traduction réservés pour tous pays.

Toute reproduction même partielle interdite.

Imprimé en France par Pollina n° 75670

Mon beau sapin

227-1

227-2

6

Tom-Tom et Nana : c'est magique !

Allume le four !

Vite la farine !

Avec eux, une demi-heure, c'est toute la vie !

Chut !

On peut au moins avancer le travail... Sortons la boîte !

Zut, c'est la boîte à cirage !

Y a que des photos dans celle-là !...

Oh, ça brille !...

Idiote, c'est la boîte à couture !

Mais...

Aïe !

Euh...

Qu'est-ce que vous fichez là ?!

Rien, on range !

227-3

7

Tom-Tom et Nana : c'est magique !

227-5

Tom-Tom et Nana : c'est magique !

Va chercher le sécateur !

Coupe à droite !... A gauche !...

CLAC !

CLAC !

Zut, j'ai coupé trop court !

CLAC !

CLAC !

J'ai fait un trou !...

?

Pas de problème ! On va le cacher...

...Avec ces jolies assiettes en carton !

Oh ! On dirait qu'il est vivant !

227-7

Tom-Tom et Nana : c'est magique !

13

La foire aux lapins

17

18

19

Le lapin a peur des courants d'air!

Vous êtes tous éliminés! Dehors!

Eh bien, gardez-les, vos lapins! On s'en fiche!

Moi, d'abord je préfère les souris!

ICI Foire aux Lapins

Mais...?!?

Ils sont encore là?

Personne ne les a pris?

228-6

20

Tom-Tom et Nana : c'est magique !

228-7

21

Nous voilà sauvés! Epatant!

J'en étais sûre! Madame Moulinet adore les animaux!

On va lui faire un beau paquet!

C'est dégoûtant, elle n'a même pas passé le Lapino-test!!!

Lapino-test... Pff!

N'importe quoi!

ICI

Ma petite Dorothée! Mon coeur!

Ne prends pas Batman par les oreilles!

Monstre!

228-8

Tom-Tom et Nana : c'est magique !

Il s'est gêné, lui, pour me ronger mes pantoufles !

Laisse-moi embrasser une dernière fois André !!!

Ooooh!

Je n'ai même pas eu le temps de peigner Zorro !

Booooh!

Ma mère arrive !...

... Avec ses cages !

Mais...

... C'est pas la peine !

ICI
foire aux
Lapins

Pauvres petites bêtes!

Tom-Tom et Nana : c'est magique !

29

Tom-Tom et Nana : c'est magique !

33

Abracadabra

(230-1)

Tom-Tom et Nana : c'est magique !

(230·3)

Tom-Tom et Nana : c'est magique !

41

(230-7)

Mes amis, concentrons-nous tous ensemble!

Mettez vos mains sur la tête! Fermez les yeux!

Et répétez après moi: "Lapins, disparaissez"!

Lapins, disparaissez!

Lapins...

Lapins...

Lapins...

Lapins...

Disparaissez!...

Lentement s'il vous plaît! ...120 fois!

LA-PINS-DIS-PA-RAI-SSEZ!

Dites-le bien fort! Encore!... Encore!...

Dix pour un

231-1

Vos lapins adorés ?

C'est fini....

On les déteste !

Dorothée m'a mordue !

Zorro m'a arraché l'oreille !

Et puis on en a marre des kilos de crottes !

Marre d'être leurs esclaves !

Eh bien... Bonne chance !

Sniff !

Et bon débarras !

Je crois rêver !

On reviendra plein de sous et avec zéro lapin !

Tom-Tom et Nana : c'est magique !

Un peu plus tard...

Approchez mesdames et messieurs ! Lapins extra !

Pas chers !

2 millions le lot de 10 !

Lapins à vendre

Pas cher !

Ça va pas la tête ! On a dit 2.000 francs les 10 lapins !

Toc ! Toc !

Bon, bon... 2.000 lapins pour 10 francs !

Allez jouer ailleurs, les enfants ! On ne joue pas, on travaille !

Ping !

Pas cher !

(231-3)

Tom-Tom et Nana : c'est magique !

(231- 6)

Tom-Tom et Nana : c'est magique !

C'est gonflé !

232.1

... De regarder les élections!! Qu'est-ce que c'est que ça?!?

CLIC!

Il n'y a pas d'élections en ce moment!

Mais si, enfin!!

Les élections de...

CLAC!

D'abord les élections, c'est pas pour les enfants! Et j'ai dit "pas de télé à l'heure des repas"!

Allez donc promener votre Gros-Lapinou!

Il nous encombre!

Oh non!

Pitié!

Tom-Tom et Nana : c'est magique !

58

Tom-Tom et Nana : c'est magique !

Laisse! Ça me donne une idée...

IIII...

Au secours! Gros-Lapinou s'est échappé!

Zut!

J'y vais! Je vous le rattrape en deux minutes!

CRiiiiii... SHPANG!!!... CRAAAS!!!

Tom-Tom et Nana : c'est magique !

BOUM!

PAF!

Oh malheur!

Les enfants ne regardez pas ça...

Les enfants?

Mais...où sont-ils?

Ils étaient pourtant avec nous!

Vous êtes sûrs?

Tom-Tom!

Rémi!

Nana!

Ping!

Ils ont disparu!

Manquait plus que ça!

Tom-Tom et Nana : c'est magique !

232-9

Merci, Asprout !

225-1

Tom-Tom et Nana : c'est magique !

68

Tom-Tom et Nana : c'est magique !

Tom-Tom et Nana : c'est magique !

Tom-Tom et Nana : c'est magique !

Chez Maigrichon

Tom-Tom et Nana : c'est magique !

Qui peut rentrer là-dedans ?!

Aaaah ! Je suis énooooorme !!

Mémed m'appelle Marie-Bouboule !

Oh !

Pffff !

Ben... T'as qu'à maigrir... C'est impossible ! ici !!

Personne ne m'aide !

Vous ne pensez qu'à vous empiffrer !

226-3

77

CLAC!

La pauvre!

C'est vrai qu'on pourrait faire un effort!

Un petit régime, ça nous ferait du bien...

Ça oui!

J'ai un, deux, trois...

Quatre... cinq bourrelets!

Et moi, j'ai combien de mentons?

Quatre, monsieur Henri!

Vous, de loin, je vous ai pris pour un camion citerne!...

C'est vrai?!

Moi, j'ai même grossi du nez et des cheveux!...

Et toi papou, ton bedon!!!

Tom-Tom et Nana : c'est magique !

Tom-Tom et Nana : c'est magique !

Tom-Tom et Nana : c'est magique !

Qu'est-ce qui vous arrive, madame Kellmer ?

KOF! KOF! KOF!

Elle a avalé d'un seul coup son menu "Noyaux" !

Heurk!

Brrr! J'ai cru que c'était du chocolat !

Ne prononcez pas ce mot-là !

C'est interdit !

Ni chocolat, ni gratin, ni choucroute...

Oubliez tout ça !

Tiens, Mémed !

Coucou!

Il a dit couscous ?

Danger, rentrée !

Demain, lever à 7 h 30 ! A 8 h 15, départ en fanfare, et à 8 h 30, entrée triomphale dans l'école !

O.K., Sergent !

J'affiche le programme ! C'est l'heure du bisou...

Bonne nuit, les petits soldats !

Smack !

Smack !

Smack !

Eteignez vite la lumière !

PROGRAMME
Soir
7 h, télé.
7 h 05, dîner léger.
7 h 15, toilette complète
8 h, bisous et dodo.
Matin
7 h 30, lever.
8 h 15, départ en fanfare
8 h 30, entrée triompha

Et faites de beaux rêves !

clic !

Ça marche comme sur des roulettes !

Ce sera une rentrée sans panique !

CLAC !

Tom-Tom et Nana : c'est magique !

Ouf ! J'ai chaud...

Ils n'ont même pas vu qu'on étaient déjà tout habillés !

Je vérifie encore mon cartable !

Clic !

Ça va... Tout y est !

BING !

BLING !

BANG !

Et le réveil...?

Tic ! Tac !

Bon, il marche !

Brriiing !

Mais on l'entend mal !...

Brriiing !

Il... il... n'y avait personne... à l'école !!!

Aaaah!

Quoi?

CLAC!

La... la... porte... était fermée ! Je n'ai pas pu entrer !

Oh non ! Je rêve...

C'est le drame, comme tous les ans !

Snif!

Snif!

Coucou les gars !

FIN

Retrouve tes héros dans le CD-ROM

Des jeux inventifs et un atelier de création
dans l'univers plein d'humour et de tendresse
des héros favoris des enfants de 7 à 12 ans.

CD-ROM MAC/PC

BAYARD PRESSE

Ubi Soft

n° éditeur : 33 88
B.D. Bayard / J'aime Lire
Les aventures de Tom-Tom Dubouchon sont publiées
chaque mois dans J'aime Lire,
le journal pour aimer lire.
J'aime Lire, 3 rue Bayard : 75008 Paris.
Cette collection est une réalisation
des éditions B.D. Bayard.